Words I Use When I Write

by
Alana Trisler
Patrice Howe Cardiel

Modern Learning Press is an imprint of Educators Publishing Service, a division of School Specialty, Inc.

Item Y466

Printed in Mayfield, PA, in July 2014
ISBN 978-0-8388-6043-4

32 PAH 16 15 14

To Beth —
our friend and mentor

A.T.
P.H.C.

A a

a
about
after
again
airplane
all
along
also
always
am
an
and

animal
another
any
apple
are
around
as
ask
at
ate
away

Aa

B b

baby

back

ball

bat

be

beautiful

because

bed

been

before

best

better

big

black

blue

book

both

box

boy

bring

brother

brown

but

buy

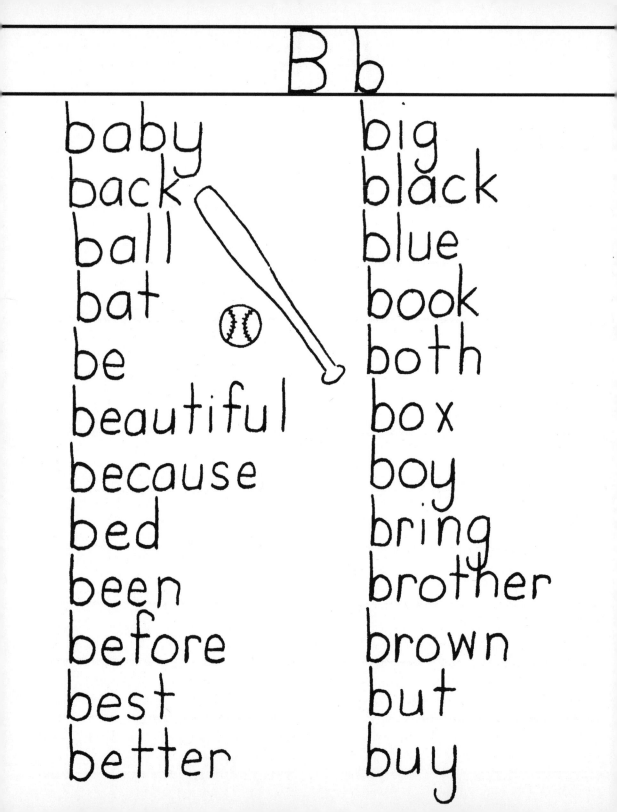

Bb

by

_____   _____

_____   _____

_____   _____

_____   _____

_____   _____

_____   _____

_____   _____

_____   _____

_____   _____

_____   _____

C c

Christmas
city
clean
coat
cold

call
came
can
car
carry
cat
chair
children

come
coming
could
country
cow
cut

C c

Cc

C c

D d

daddy   down

day   draw

dear   dress

did   drink

didn't

dinosaur

do

does

dog

done

don't

door

D d

E e

each _____

ear _____

eat _____

egg

eight

elephant

end

enough

ever _____

every _____

eye _____

_____ _____

E e

Ff

fall

far

fast

father

favorite

few

find

fine

fire

first

five

fly

for

found

four

friend

from

full

fun

funny

4

F f

G g

game	goes
gave	going
get	good
girl	got
give	grade
glad	green
go	grow

_____

_____

_____

_____

_____

Gg

H h

had	
hair	
hand	
happy	her
hard	here
has	him
hat	his
have	hold
he	holiday
head	home
heard	hope
help	horse

H h

hot

house

how

hug

hurt

_____

_____

_____

_____

_____

_____

_____

_____

_____

_____

_____

_____

_____

I i

I

ice cream

if

in

into

is

it

its

I i

J j

jump
jumprope
just

K k

kangaroo   know
keep
kind
king
kite

J j

K k

L l

large   look
last
laugh
leaf
left
let
letter
light
like
little
live
long

_____

_____

_____

_____

_____

M m

made   more

make   morning

man   most

many   mother

may   ★ mouth

much

must

me   ★ my

men   myself

milk

money   _____

moon   _____

M m

Nn

name   now
needle   number
never
new
next
nice
night
no
nobody
none
nose
not

_____
_____
_____
_____
_____

Nn

O o

of   our
off   out
often   outside
old   over
on   own
once
one
only
open
or
orange
other

_____

_____

_____

Oo

P p

paper
party
pass
past
pay
pencil
people
pet
pick
pig
place
play

please
pretty
pull
put

_____

_____

_____

Pp

Q q

queen

question _____

quick

quiet

_____

?

Qq

Rr

rabbit	ride
race	right
rain	rocket
ran	room
read	round
ready	run
red	

_____

_____

_____

_____

_____

_____

Rr

S s

said	sing
saw	sister
say	sit
school	six
scissors	sleep
see	small
seven	so
shall	some
she	something
should	soon
show	spelling
side	spring

S s

start
stay
stop
story
street
summer
sun
sure

_____

_____

_____

_____   _____

_____   _____

_____   _____

Ss

S s

T t

take

talk

teacher

telephone

television

tell

ten

than

thank

that

the

their

them

then

there

these

they

thing

think

this

those

thought

three

through

T t

time   _____

to   _____

today   _____

together   _____

told   _____

too   _____

took   _____

town   _____

try   _____

two   _____

_____   _____

_____   _____

T+

T t

_____   _____

_____   _____

_____   _____

_____   _____

_____   _____

_____   _____

_____   _____

_____   _____

_____   _____

_____   _____

_____   _____

U u

umbrella   us

under   use

until   used

up

upon

V v

valentine

vase

very

volcano

I love you!

U u

V v

W w

walk	were
want	what
warm	when
was	where
wash	which
watch	while
water	white
way	who
we	why
week	will
well	winter
went	wish

W w

with
woman
work
would
write

_____   _____

_____   _____

_____   _____

_____   _____

_____   _____

_____   _____

X x

x-ray

_____

_____

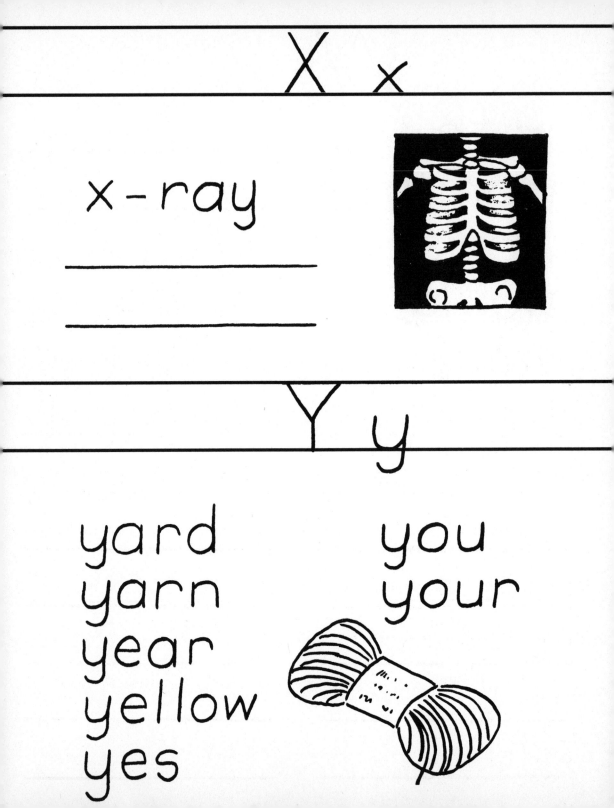

Y y

yard   you
yarn   your
year
yellow
yes

X x

Y y

Z z

zero   zipper

zig-zag   zoo

Color Words

black _____

blue _____

brown _____

green _____

orange _____

purple _____

red _____

white _____

yellow _____

_____ _____

Contractions

aren't	are not
can't	cannot
didn't	did not
doesn't	does not
don't	do not
I'll	I will
I'm	I am
isn't	is not
it's	it is
I've	I have
let's	let us
wasn't	was not

Contractions

we're	we are
won't	will not
you're	you are

_____   _____

_____   _____

_____   _____

_____   _____

_____   _____

_____   _____

_____   _____

Days of the Week

Sunday	Sun.
Monday	Mon.
Tuesday	Tues.
Wednesday	Wed.
Thursday	Thurs.
Friday	Fri.
Saturday	Sat.

Months of the Year

January	Jan.
February	Feb.
March	Mar.
April	Apr.
May	
June	
July	
August	Aug.
September	Sept.
October	Oct.
November	Nov.
December	Dec.

Number Words

one	eleven
two	twelve
three	thirteen
four	fourteen
five	fifteen
six	sixteen
seven	seventeen
eight	eighteen
nine	nineteen
ten	twenty

Ordinal Numbers

first	eleventh
second	twelfth
third	thirteenth
fourth	fourteenth
fifth	fifteenth
sixth	sixteenth
seventh	seventeenth
eighth	eighteenth
ninth	nineteenth
tenth	twentieth

Classmates...
and Friends

_____	_____
_____	_____
_____	_____
_____	_____
_____	_____
_____	_____
_____	_____
_____	_____
_____	_____

Family

_____   _____

_____   _____

_____   _____

_____   _____

_____   _____

_____   _____

_____   _____

_____   _____

_____   _____

_____   _____

_____   _____

Pets

_____   _____

_____   _____

_____   _____

_____   _____

_____   _____

_____   _____

_____   _____

_____   _____

_____   _____

_____   _____

_____   _____